U0064381

劉福春・李怡 主編

民國文學珍稀文獻集成

第三輯

新詩舊集影印叢編　第120冊

【臧克家卷】

生命的零度

上海：新群出版社 1947 年 4 月初版

臧克家　著

冬天

上海：耕耘出版社 1948 年出版

臧克家 著

花木蘭文化事業有限公司

國家圖書館出版品預行編目資料

生命的零度／冬天／臧克家　著－－初版－－新北市：花木蘭文化事業有限公司，2021〔民110〕

162面／64面；19×26公分

（民國文學珍稀文獻集成・第三輯・新詩舊集影印叢編　第120冊）

ISBN 978-986-518-473-5（套書精裝）

831.8　　　　10010193

ISBN-978-986-518-473-5

民國文學珍稀文獻集成・第三輯・新詩舊集影印叢編（86-120冊）

第120冊

生命的零度
冬天

著　者　臧克家

主　編　劉福春、李怡

企　劃　四川大學中國詩歌研究院
　　　　四川大學大文學學派

總編輯　杜潔祥

副總編輯　楊嘉樂

編　輯　許郁翎、張雅淋、潘玟靜　美術編輯　陳逸婷

出　版　花木蘭文化事業有限公司

社　長　高小娟

聯絡地址　235 新北市中和區中安街七二號十三樓
　　　　電話：02-2923-1455／傳真：02-2923-1452

網　址　http://www.huamulan.tw 信箱 service@huamulans.com

印　刷　普羅文化出版廣告事業

初　版　2021年8月

定　價　第三輯86-120冊（精裝）新台幣88,000元　

生命的零度

臧克家 著

新群出版社（上海）一九四七年四月初版。原書三十二開。

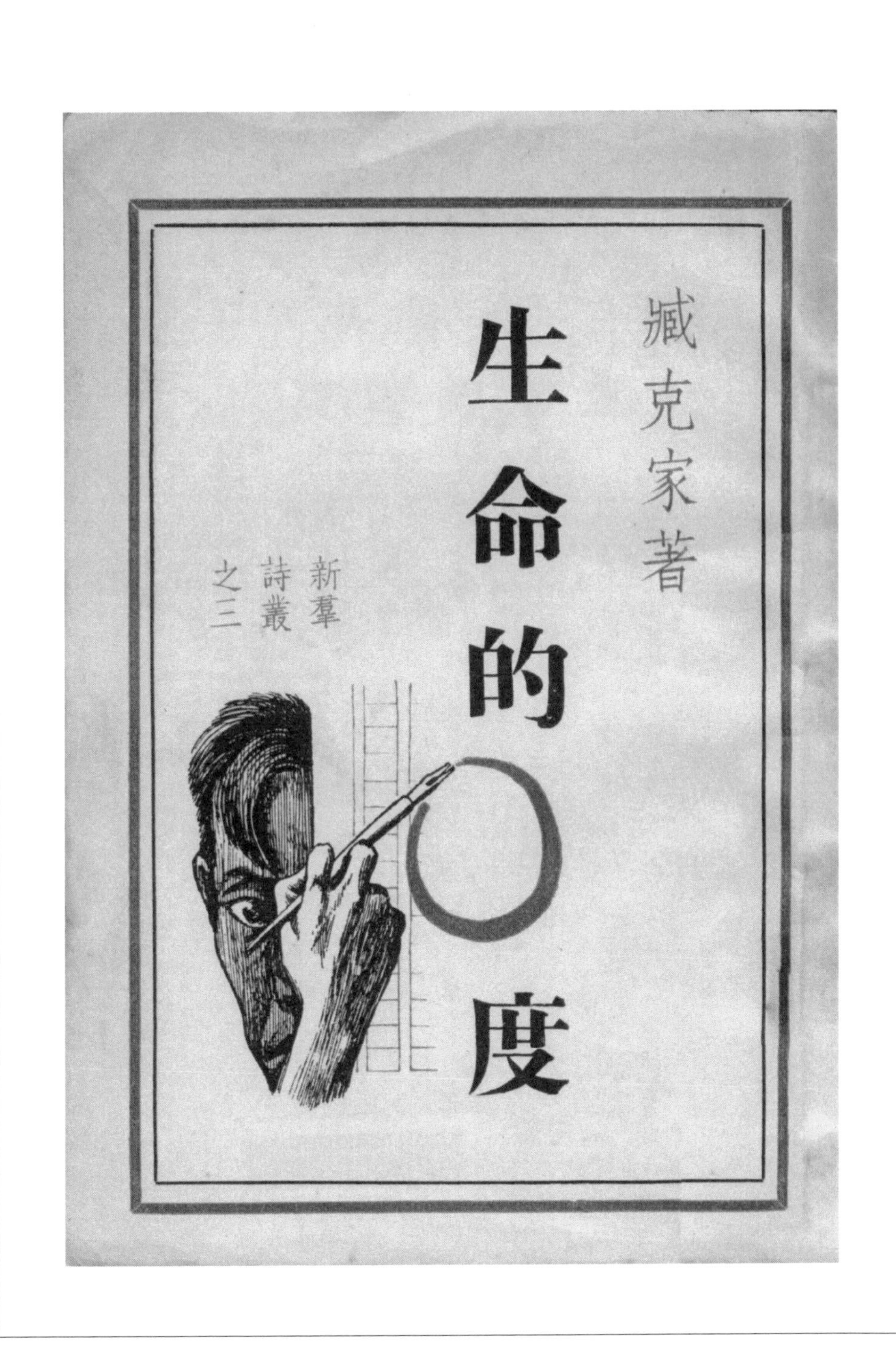
臧克家著
生命的〇度
新羣詩叢之三

新羣詩叢

生命的零度

臧克家著

新羣出版社

一九四七年

序

我把三年來的二十九首短詩和長詩，輯成了這個集子。當然，從三十四年到今天，我不只寫了這些，其餘的，都已包括到抒情的「生命的秋天」，和諷刺的「寶貝兒」裏去了。

在這個集子裏，我並沒有按着時間的先後爲序，雖然每一篇底下都淸楚的記着寫作的年月。按寫作先後排次序，有一個好處，可以使自己和讀者瞭然於由於環境，心情，思想的變遷，而影響到詩篇的內容，形式，以及創作路綫的曲直。我相信我自己是在變着的。把這個集子裏的東西前後一對照，也可以看出這個變的蹤跡來。彫琢了十五年，才悟得了樸素的美，從自己的圈套裏掙脫出來，很快樂的覺得詩的田園是這麼廣闊！「生活得，鬥爭得，如同一個老百姓，最眞摯的憎愛用最平易的字表現出來——表現得深，表現得有力，表現得美！」。

當然，這只是給自己豎立了一個標竿，我並沒有夠上它。但，我在努力的，自覺的去夠！

把這個集子分做三輯，是按着性質大略的分開的：

第一輯　諷刺。

第二輯　窮苦然而高尚的影像；加上一些抒情的東西。

第三輯　是敍事詩。老哥哥和六機匠，是站在我心頭上的最親切，最清楚，時間越久越鮮亮，只要一想到就溫暖，就悲傷的兩個頂頂巨大的影子。我祝福老哥哥的孫子已經翻了身，我祝福六機匠已經換上另一副生活了。

克家，三十六年元月十六日雨中爐邊於滬。

目錄

第二輯

第三輯

第一輯

謝謝了「國大代表」們！

謝謝你們，
兩千多位
由二十幾個省份的「民意」
製造出來的「國大代表」！
你們辛苦了，
冒着冷風，
冒着翻車和飛機失事的危險，
不遠千里而來，
爲了民族，
爲了國家，
爲了千秋萬代的子孫！
眞的謝謝你們了，

你們爲了國家的「百年大法」
彼此辯論得臉紅耳赤，
（又是「鍋貼」，又是「汽水」。）
有的把性命也犧牲了，呵，竟至如此，竟至如此！
一時也沒忘記民衆的囑托，
你們是那麼認眞，
　那麼熱烈，
有「反」，有「正」，
產生了那麼莊嚴完美的一個「統一」！
從此，
我們的國家
有了一條軌道，
從此，．．．
我們老百姓
可以「治」，

可以「有」，
可以「享」了。
從此，
我們不再被拉伕，抽丁，剝削；
從此，
我們可以不再挨餓在家裏，凍死在路旁；
從此，
我們不再自行落水，或者終年患着窒息……

謝謝你們，
勞苦功高的代表！
雖然你們已經
回到各省去受同胞們的愛戴去了，
但是，你們留下了一部「大憲法」
做一個永久的去後之思！

你們開了那麼多天的大會，
才花了八十多億，
現在的錢叉毛，這眞不成個數目，
招待不週，一切委屈，
請多多大肚包涵了。
這部奇蹟，這部「百年大法」，
眞是我們的無價之寶，
就算一千萬元一個字，
天理良心，它也値，它也値！

你們走了，
把整個石頭城搬空了。
可是，我們情願
擠在公共汽車裏做沙丁魚，
看着「招待車」空着滿街跑；

我們情願
進不到館子，餓瘦一點，
好向你們表示一點敬意；
我們情願
身上的灰垢蓄一寸厚，
也把澡堂子讓出來，
叫你們躺在那兒多多休息一回兒；
我們情願
多出血汗錢買點貴東西，
決不怨恨，反而覺得高興，
因為，由於這一切，
我們才感覺到你們貼近在我們身邊，
你們是在「這裏！」

你們走了，

你們竟然撇下我們走了！
我們感覺着多麼空虛！
連那座大會堂，
連街上那一條一條的大紅柱子，
連門前的石獅子也說上，
栖然被閃得直挺挺，死板板，空虛虛，
沒有半點生氣！

當我乘着開放的機會
走進這座大會堂，
呵，我多麼高興！
又多麼悲傷！
我向每樣東西上
去接觸你們的眼光；
我向每一口呼吸裏

去嗅味你們的「正氣」；
我向每一寸地板上
去印證你們偉大的脚跡……
我彷彿聽到
你們滔滔的雄辯，
我彷彿看到
崇高的影子一個又一個站立了起來……
我由於感激流下的眼淚
把一切都模糊了。
我嚴肅而又恭敬的
一步一個戰慄的
走上了高高的主席台，
向着主席的「寶座」
落坐了下來，
我覺得我害怕，

然而我心裏念念着：
我也做了一秒鐘的「主人翁」。
卅六、一、二日於滬。

「警員」向老百姓說：

親愛的趙大爺，錢二哥，孫大娘，李么嫂，
親愛的諸位市民，各界同胞！
我們常常摸着胸口問自己，
我們長官訓話的時候也常常提起：
「你們吃的那個的飯？
你們穿的那家的衣？」
「都是人民的，都是人民的，
人民就是我們的主子！」
所以，所以，親愛的同胞，
保護你們是我們的惟一天職！
我們一向工作
本着這個目的，

何況就到了今天，到了今天，
人人都說是「人民世紀」，
這更是義不容辭！
　義不容辭！
我們要常常登門拜訪，
日期沒有準，時間也說不定，
總之，我們要來得很勤，很勤，
警民打成一片，
大家親愛精誠！
我們要訪問貴府家有幾口？
幾個娃兒？幾個大人？
幾個男，幾個女，
幾個在家，
幾個出了門？
連生日八字也要弄個清楚，

倒底是生在民國，還是紀元前？
若是紀元前，
是光緒，還是宣統年間？
在什麼地方落的草——
那一省，那一縣，
那一保，那一甲，
門牌多少號？
在什麼時辰落的草？
子時，丑時，還是寅卯？
小字？別號？學名？乳名？
順便我們再問一問綽號，
因爲它最能夠代表一個人的品行。
你曾祖父叫什麼名字？
在陽世活了多少年？
是作官？是經商？

是務農？還是下苦力吃飯？
他死了，埋在什麼地方？
墳的山向朝北還是朝南？
你祖父，你父親，
又是些什麼樣的人？
如果是死了，
是病死的？是自殺死的？
還是有別的其他原因？
他們活着的辰光
都是做些什麼事情？
死了的時節，
那些人會來靈前哭過？
眼淚流了多少？
哭的傷心不傷心？
現在，撇開死的，

向活的訪問：
你家裏有幾間房？
幾扇窗？幾合門？
你灶門的方向朝那？
牆頭有幾尺高？
牆外是曠野，是河流，
或是別的近鄰？
這鬼年頭，奸險匪暴到處橫行，
那些人常同你來往，
我必須暗地裏替你留心！
我還要留意你的一些特徵——
高個兒還是矮子？
肥白還是黑瘦？
穿中裝還是西服？
什麼顏色？什麼質地？

出門的時候，
常向西還是向東？
常坐車還是步行？
爲了這一些大事小節，
我們鞠躬盡瘁，不辭勞苦，
無非是，無非是爲了你們的安全，
隨時隨地好加以保護！
我還想偵察一下
你們都在看些什麼書？
參加些什麼活動？
對國家大事作何感想？
腦子裏裝着一些什麼？
這絕對不是我們多事，
爲了責任，我們不能不替你們担心，
這是什麼時代呀，

這時代，邪說像猛獸到處吃人！
這，你們該明白了，
我們「深入民間」全是爲了你們；
可是，你聽，多少人在亂嚷亂叫，
說我們是「法西斯蒂」，
眞是「好心當了驢肝肺」，
眞是冤枉，眞是豈有此理！
親愛的市民們，
千萬不要聽那一派胡扯，
這明明是壞蛋們別有用心！

三五，五，廿二日於渝歌樂山大天池。

飛

物價
決不向勝利低頭，
它便要和鈔票的印刷機
跑一跑百米。

從統制的條文裏，
從權貴的掌心上，
從囤積堆棧的頂頂尖——
它飛，牽着一條生命綫，
到處裏飛，
自由自在的飛，
不能自已的瘋狂的飛！

多數人叫苦，窮愁，
一步一步逼到了生的盡頭；
少數人欣喜，狂歡，
一個黃金夢實現在白天。

道義，廉潔，節操，
讓傻子們抱住它們
去受窮，去死掉，
聰明人什麼都不怕，什麼也不管，
該下手時就下手，
在冒險裏行樂，
在漲風裏撐起投機的船。

它抬高了柴米油鹽的身份，

叫人細細去咀嚼樹皮草根；
在另一羣人的嘴裏，
它也叫
山珍海錯失去了味道。

它叫一條身子穿上千百萬，
它也叫另一些人披着麻袋過冬天，
它叫一個窮光蛋
一覺醒來成了百萬富翁，
它也叫百萬富翁
一轉眼變成一個窮光蛋。

它飛，高飛，再高飛，
摔下一個這樣的人間，
它在半空裏鳥瞰。

卅五、四、卅日於渝歌樂山大天池。

發熱的只有槍筒子

不要看百貨公司
那份神氣，
心血枯竭了，
它會一頭倒下來碰死！

不要看工廠的大煙囪
摩着天，
突然一下子
它會全不冒煙！

揭開每一口灶門，
摸摸那一堆冷灰，

把手打在心口窩，
去試試每一顆心。

一夜西北風
凍死那麼多的人，
整個的中國，
已經是人鬼不分！

這年頭，那兒去找繁榮？
繁榮全個兒集中在戰地；
這年頭，什麼都冰冷，
發熱的只有槍筒子！

卅五，冬於滬。

豎立了起來

——豎立起來的不是銅像
而是普式庚他本人

一百一十年前的沙皇，
他的骨頭
已經腐爛在
他統治過的那塊土地上；
他的聲名
也在一天一天的黯淡，
像一顆大星
沒落在歷史的黎明。
然而，當年他却是那麼威風，
把宇宙掛在一個小拇指上

叫它旋旋轉，
舉起一隻巴掌來，
可以遮蓋整個的天空！

一百一十年後的普式庚，
生命開始展開，
把精神凝鑄成銅像，
以世界作基地，一個又一個的豎立了起來。
你高高的站立着，
給人類的良心立一個標準，
你隨着時間上昇，
眞昇到日月一般高，
也和日月一般光的。

你站在那兒

向苦難的人羣招手，
把溫暖大量的拋給；
你站在那兒
向鬥爭的行列指示，
給他們以全力的支持！
你站在那兒
像一個諷刺，
唾向那一張一張的面孔，
那些面孔就是險陰，殘忍，庸俗和自私。

小孩子們
在你脚下的草地上玩耍，
仰起臉來望望你，
呼一聲「普式庚伯伯」，
你笑着，要走下來，

摸摸他們的頭，
加入進他們的隊伍一道去嬉戲。

走過你身邊的人們，
忽然停住了步子；
你，默默的在想什麼？
想給他們朗誦一篇自己的詩？

你莊嚴而又和藹的
站在那兒，
彷彿可以聽到你心的跳動
和透露出喜怒哀樂的呼吸。

我，一個中國的寒傖詩人，
你生前遭受過的，

在我也全不稀奇，
剪刀和監牢向我張着大口，
譏笑，窮困永遠跟在我後頭，
我愛祖國的人民和土地
和你愛的一樣深，
可是，這也是一樣的呀，
這種愛在眼前的中國，
是犯法，而且有罪的！

一百一十年的時間
校正了一點：
當年，當俄羅斯，是詩人領導着人民向前走，
在中國，今天，人民却走在了詩人的頭前。

三五，十二，廿日晨於滬。

你們

你們宣傳說，我不再寫詩了，
對不起，我給你們一個大大的失望，
我被你們的話鼓勵了，
我的詩興猛烈得像火！

如果詩就等於風花雪月，
不勞你們提示，我早就擱下筆了；
如果詩就是無病呻吟，
連我自己早就感到羞愧了。
我不是沒有事做，
才伏在桌子上，皺着眉頭，
去製造一點詩意和沒有源頭的感傷，

不是因爲我有太多的時間，
才像一個工匠琢磨一塊玲瓏的寶石，
爲了好玩，我琢磨着一些冷冰冰的詩句。

不是的，不是的，不是的呀！
我有太多的悲憤要把胸膛爆炸開呵，
我有太多的感情要衝湧而出呵，
我的心被火燃燒着——
那羞恥的火，
那困惱的火，
那生之苦難的火呀！

我要活着，
我要有飯吃，有衣服穿，
有屋子住，有自由的空氣呼吸。

我也要我的家人，
我也要每一個人都能活，
都能活得像個活的樣子呀！
但是，我得不到我所要求的，
千千萬萬的人得不到他們所要求的——
那麼低微的起碼的要求！
因爲我們太老實，太善良可欺，
因爲我們的心始終是紅色的。
這就成爲我們受苦的理由，
這就成爲我們「不順眼」的理由，
可怕的人反把我們看做是可怕的了。

我們的良心
比你們金錢的聲音
更響亮，

我們褻衣上的污穢
也比你們的「道德」高尙。
我們的窮，是堂堂正正的窮，
而你們，呸，只有一個大肚皮，
天知道那裏面裝着些什麽東西！

我要寫詩，
因爲我要活下去，
而且，越活越起勁！
我明白，在我們消極的時候
你們才積極起來！
我要用我的詩句鞭打你們，
就是你們死了，我也要鞭打你們的屍身！
我要把我的詩句當刀子
去剖開你們的胸膛；

我要用我的詩句
去叫醒，去串連起
一顆一顆的心，
叫我們的人都起來，都起來，
站在一條線上，
向你們復仇！復仇！

我的心這樣沉重，
我以我的詩句呼吸；
我的心這樣憎恨，
我以我的詩句宣洩；
我的心這麼悲痛，
我以我的詩句哭泣；
我的心這樣高興，
我以我的詩句歡呼。

你們使我這樣激動，
你們使我更積極，更勇敢，
你們使我的詩句增加了力量，
呵，你們呀，你們呀，你們呀！

三五，十二，廿八日燈下於滬。

「徐州大會戰」

「徐州大會戰！」
出現在報紙上，
我的心
又回到了廿七年的四月天。
那時候，台兒莊打得正凶，
砲聲震動了
徐州城的神經。
在一個夜晚，
八輛小汽車
載着指揮作戰的
大將們
向台兒莊駛去，

我眼望着
那一道一道的燈光
神秘而威嚴的
在黑暗裏閃出光明的路。

長官部紮在車輻山，
將軍們像熱心的棋手，
圍着地圖賭心機，運智謀，
電話裏的消息一刻萬變，
電話傳達着用堅決的口氣下的命令：
「一定要拿下來，明天十點以前！」

他們這些將軍，
住在草棚子裏，
穿着土布鞋，

嘴角起大泡，
一個人兩個黑眼圈，
不吃飯，不睡覺，
一支煙接一支煙！

我的一匹戰馬
被身前身後的炮彈
震怒了，
踐踏着旺生生的麥田，
留下了一個一個蹄窩，
忽而，仰嘯起來，
兩隻蹄子騰向天。
我騎着它，
用力抽鞭，
追擊的隊伍

比我跑得更快，更遠。
炮彈打毀了
房屋，
打斷了
一樹又一樹盛開的桃花，
打翻了
運河深處的白魚。

台兒莊，
敵人三次打進去，
三次被打出來，
寨子東北角的牆打破了，
用人來補！
「服務團」的男女同志們

和士兵一起躺在戰壕裏，
他（她）們一邊工作，
一邊高唱「微山湖上今又生洪波！」
長官要她們回徐州，
她們不！
最後迫得抽簽
抽到的，放聲大哭！
我曾經三次走進台兒莊
去憑弔戰蹟；
一片臭氣，
一片焦土！
台兒莊，
叫出了第一個勝利的消息，
台兒莊，
也成了永遠不朽的一個名字！

今天，又一次「徐州大會戰」！
微山湖，台兒莊，車輻山……，
這些名字，
今天，又在報紙上出現！
當年指揮抗日的將軍，
今天也同樣在指揮內戰！
我的記憶，我保存着的一些戰地照片，
今天拿出來對一對，
呵！我的心呀
簡直要一裂兩半！

三六，元月卅日早於滬。

內戰英雄讚

轟轟轟，
隆隆隆，
地下響大炮，
天上飛「將星」，
現在只是三缺一，
沒有湊成「海陸空」。

台兒莊，
徐州城，
這些名字多光榮！
日子算來沒九年，
又是一次「大會戰」！

看今天，想當年，
想當年，看今天，
唉嚎，內戰的英雄漢，
你們眞勇敢！眞勇敢！

三六，元月卅日早於滬。

我們

如果這也算是生活，
那，請看我們是怎樣的活着吧！

我們
呼吸着
火藥的氣息
活着；
我們
空着一半沒法填滿的腸胃
而另一半給愁苦，悲憤鼓脹起
活着；
我們
被奪去了

家庭的溫暖
和天倫之樂，
在肉體的掙扎
和心靈的孤苦情況之下
活着；
我們
被剝光了
生活的一切條件——
加上自由，
加上希望，
加上人格，
甚至加上
笑和眼淚
活着；
我們

赤裸裸的，
半瘋狂的，
一半像人，
一半像鬼，
一半像野獸的
活着。
然而，我們是大多數，
是百分之九十九的大多數呀！
我們
被驅着走到了
生死的交界上，
我們，我們猛然一齊回轉身子，
死灰裏
也會逼出火星子呀！

三六，二月四日於滬。

生命的零度

——前日一天風雪，
昨夜八百童屍。

八百多個活生生的生命，
在報紙的「本市新聞」上
佔了小小的一塊篇幅。
沒有姓名，
沒有年齡，
沒有籍貫，。
連凍死的樣子和地點
也沒有一句描寫和說明。
這樣的社會新聞

在人的眼睛下一滑
就過去了，
頂多賺得幾聲嘆息；
人們喜歡鑑賞的是：
少女被强姦，人頭蜘蛛，雙頭怪嬰，
强盜殺人或被殺的消息。

你們的死
和你們的生一樣是無聲無臭的。
你們這些「人」的嫩芽，
等不到春天，
飢餓和寒冷
便把生機一下子殺死。

你們是從那裏來的？

是從那響着內戰炮火的戰場上？
是從那不生產的鄉村的土地裏？
你們是隨着父母一道來的嗎？
抱着死裏求生的一個希望，
投進了這個「東亞第一大都市」。

你們迷失在洋樓的迷魂陣裏，
你們在珍饈的香氣裏流着口水，
嘈雜的音響淹沒了你們的哀號，
這裏的良心都是生銹了的。

你們的髒樣子，
叫大人貴婦們望見就躲開，
你們抖擻的身子和聲音
討來的白眼和叱罵比憐憫更多；

大上海是廣大的，
　溫暖的，
　明亮的，
　富有的，
而你們呢，
却被飢餓和寒冷襲擊着，
敗退到黑暗的角落裏
空着肚皮，嚼着牙齒……
一夜西北風
揚起大雪，
你們的身子
像一支一支的溫度表，
一點一點的下降，
終於降到了生命的零度！

你們死了，
八百多個人像約好了的一樣
抱着同樣的絕望，
一齊死在一個夜裏！
我知道，你們是不願意死的，
你們也嘗試着抵抗，
但從一片蒼白的想像裏
抓不到一個希望
做武器，
一條條赤裸裸的身子
一顆顆赤裸裸的心，
很快的便被人間的寒冷
擊倒了。

你們原是
活一時算一時的，
你們死在那裏
就算那裏；
我恨那些「慈善家」，
在死後，到處檢收你們的屍體。
讓你們的身子
在那三尺土地上
永遠的停留着吧！
叫發明暖氣的科學家們
走過的時候
看一下，
擱住大亨們的小包車
讓他吐兩口唾沫，
讓摩登小姐們踏上去

大叫一聲，
讓這些屍首流血，潰爛，
把臭味滲和到
大上海的呼吸裏去。

五六，二月六日於滬。

第二輯

星星

我愛聽
人家把星
叫做星星。

夜空是另一個世界，
星星是它的子民，
誰也不排擠誰，
彼此密密的挨近。

它們是那麼渺小，
渺小得沒有名字，
它們用自己的光圈，

告訴自己的存在。

仰起臉來，
向着那白茫茫的銀河，
一，二，三，你數，
呵，它們是那麽多，那麽多……

三五，八月四日午於滬。

鄰居

——給檐上燕

歡迎，你，
來我這堂屋裏安家，
在這苦難的歲月裏
我們一樣是作客在天涯。

聽說，你頂會選擇人家，
我高興你來和我做近鄰，
這座房子，可以避風雨，
我們都有一顆無害於人的心。

我給你在東牆上釘了一個竹窩，

一早，我忙着給你去開門，
晚上，我留着門等你，
像等一個遲歸的親人。

為什麼，飛來飛去，
總是孤孤單單的一個？
我怕看見你的影子，
也怕聽你的歌。

暴風雨快要來的時候，
我手把住門站在屋簷下，
東邊望了西邊望，
覺得焦心又覺得害怕！

今天，你說我有多麼快樂！

當我看見你不再是一個；
我的心永遠不能安甯，
如果有一個人不能幸福的生活。

三五年春於渝歌樂山大天池。

莊嚴

頭頂上，
高高的藍天，
身背後，
遠遠的青山，
你，一個小小的人兒
在工作，
多吃力呀，多莊嚴！

沒有過溫暖，
沒有過幸運，
連一個美麗的故事
也沒有聽過；

才十三歲，你就有了一個「主人」。
冬天的大野
是這樣荒涼，
冬天的田地
是這樣頑强，
像一隻螞蟻在打洞，
鋤桿對你還太長，太長。

該吃「晌午」了，
你拄着鋤桿望一望，
身子像一棵孤立的小樹，
冷風要把它的葉子吹光。

傍晚的時候，
太陽也要歸山了，

你却須等待那一聲「遙呼」，
才起身；
黑暗，
總是比你先走進「主人」的房門。

冬天因爲有你在工作，
冬天顯得更嚴肅，
天地因爲有你在工作，
天地顯得更莊嚴；
可是，我受不了，我受不了，
我甯願看一個孩子頑皮，
我，我眞受不了這莊嚴！

三四，十二月卅日於渝歌樂山大天池。

給一個農家的孩子

——不知道他的歲數，就說他十三四；不知道他的姓名，就算他張王劉李——

秋天的黃昏
快要降落的時候，
刮着冷清清的風，
落着淅零零的雨，
你，從一個小山崗上走下來，
向着另一個小山崗邁着快步，
我多想，多想向你打一個招呼，
可是，終於讓你默默的走了過去。

冬天，太陽的光芒，很短，很短，
而寒冷却很長，很長，沒有邊際，
我看見你同你的爸爸，
（我心想他是！）
又經過我門口的山路，
他的左肩上
掛一架滑桿，
你的右手裏
提一小口袋米，
（我心想它是！）
我多想，多想向你們打一個招呼，
可是，終於讓你們默默的走了過去。
以後，我常常在碰到你們的那個時間
站在門口裏，

徘徊又徘徊，徘徊又徘徊，
感到塡不滿的空虛，我想哭。
以後，自自然然的我們成了相識，
見了面，點點頭，彼此送一個微笑做招呼，
我問你的家在那兒，
你向着面前的一個小山崗一指，
遠遠的，遠遠的，我望見了一座小茅草屋，
屋頂上，有一縷微弱的炊烟正在昇起。

以後，我常常站在門口的小路上走來走去，
以後，我常站在田坎上
朝那個小山崗望個半晌，
我，我心的深處，緊緊擁抱住一個小泥火爐。

以後，我就是坐在房裏，

就是睡在牀上，我也會碰到你；
以後，我就是離開這裏，
我也會着到一個可親的影子；
以後，我就是走出去千里萬里，
我也會看到那個小山崗，
那一縷微弱的炊烟從茅草房頂冒出；
雖然，我並叫不出你的名字
你也同樣不知道我的！

三四・十二月於渝歌樂山大天池。

口哨

嘰……咕，嘰……咕，
像一聲一聲寂寞的鳥叫，
枯冬的風捲着它跑，
把山裏的白晝和我的心
傳染了。
那有什麼鳥，一個小孩子
在脚掌大的一片山地上開荒，
稻田的明鏡
捕捉着鍬頭的影兒，
征服了韌性的老草，
汗滴落在新土裏
像撒種籽。

嘰……咕，嘰……咕，
像一隻小鳥歌唱春天，
山花紅了，風也軟，一股暖流
無聲的流，流在人心上，
流在山谷裏，也流在大平原……。
他就是一隻生命的鳥兒，
光脚板浴在土香裏，
他用力也用心使用他的鋤，
它對他有點過長又過重，
吹動他頭髮，風
也吹動着豆苗，嫩生生。

嘰……咕，嘰……咕，
像一隻鳥兒報告秋天的消息，

一聽到這聲音，
天更高，雲更薄，風更急。
我又看到了他，看到了這個小孩子，
他手裏鋒快的鐮刀
把豆棵放倒了一地。

嘰……咕，嘰……咕，
他的口哨更響了，
不再是空虛和寂寞，
它像飽滿的豆粒子一樣的充實。

三二年十二月九日於渝歌樂山大天池。

捉

暴烈的拳頭
打在門板上！
星星震動得
要墮落，
狗子瘋狂了，
要把整個山村
抬起來！

死寂了一霎，
敲得更起勁了，
這回不再是用手，
聲音那麼沈重！

遲疑又遲疑，
門，
終於在叱咤聲裏
吱呦一聲開了，
雜亂的脚步
踏進了當門，
又聽見，
到處搜索，
接着是
繩索響，
末了，微弱的反抗，
像一隻小雀子
被捍在一隻大手中。

雜沓的步子
響過小院落，
火把在我的窗紙上
恐怖的一閃，
一個老太婆淒厲的哀號
像投在黑暗大海裏的一塊石子，
激起來的波紋，
漸漸遠，
漸漸渺茫……

三四，四月廿一日於渝歌樂山大天池

叮嚀

年年春天快要盡頭的時候，
落過幾場知時的好雨，
屋後的小園子塗了油的一樣，
堅硬的土塊子便自己酥軟了下來。

歲月這麼悠久，這麼艱難的過去了，
戰爭教　人到處爲家，
就像經營着故鄉裏的那「南園」，
我們經營着這一點點土地。

沐着濛星濛星的霏霏雨
去挖，

好大的雲霧呵，
白茫茫，飄忽忽，
這是在那兒呀！
那青山呢？那村莊呢？那樹木呢？
那裏是南北？那裏是東西？

太陽底下，我們也不敢愛惜自己，
地上，一個斗笠的大影子，
像被輕風追趕着的一片黑雲，
我們懷着對土地的戀愛，
懷着孩子天真的遊戲和創造的專心，
劃出一個畦子，又一個畦子，
在畦子上留下了自己淺淺的脚印。

我們呼吸着新土的芳香，

我們打着光脚板，這也是一種最美的享受，
把一粒一粒種子撒在土窩窩裏，
輕輕的，輕輕的蓋上一層土，
額上的汗珠子一滴一滴的往下落，
也一起埋到了泥土裏去。

這時節，我屋子左角
孩子們叫做「映山紅」的山上
一陣一陣迸發出孩子們的歡笑和驚呼。

我們一早一晚
到堰塘裏去打水，
肩頭上，
扁擔吱吱的叫，
水桶裏，水嘩嘩的笑，

水裏有一面藍天，
藍天上彩霞在動蕩。

我們不能叫土地挨着乾渴，
我們不讓一棵草奪去一點水分，
像保護一個嬌慣的孩童，
我們保護着我們的種子。
我們沒有一天不去看它，
低着頭，想從土裏探聽出一點消息，
像一個小孩子把一枝折斷了的柳枝插在土裏，
一回兒跑去看看，有沒有長成一棵綠葉成蔭的大樹。

可是，它並沒有叫我們失望，
一個個綠色的小頭頂破了土，
玩賞着那小土帽子，我們又驚又喜，

彷彿這是不可能的一樣！

我們看着它們分瓣，看着它們挺起身子，
看着輕風親着它們那搖搖擺擺的軀體
攀住了青竹「站站」，用青春的活力向上爬去。
我們看着它們的綠蔭蓋過了土地，
我們看着它們開出白色的小蝴蝶花，
蝴蝶飛了，撒下綠的片片，
幾場催生的細雨過後，
鼓胖胖的四季豆上打下掛，
所有的「站站」一齊彎下了腰。
自己的勞動結了果實，
摘滿一籃子，又是一籃子，
當口裏咀嚼着這美味，
我們的心是多麼甜，多麼滿足！

勝利的「火炮」響了，
最後一次聞一聞火藥氣息，
每一個人就是一串火炮，
要在狂歡裏爆炸了自己！
我眼睛裏流出了八年來的第一滴淚，
也是第一次感到，同家鄉中間隔着千山萬水，
我整理好了破碎的行囊，整理好了破碎的心緒，
給自己預約了一個和平安樂的農村生活。
我想，我一定比春風
搶先到故鄉，
扶着「南園」的秫稭「帳子」，
和青青的麥苗，和青青的菜苗，
一齊享受着那和暖的春光。

所以，我讓屋後的園子閒着休養，
讓去年的蘿蔔種在上面長成傘，
讓土塊乾燥着想鋤頭想得發恨，
我想，這一回我要完全拋棄了它，
像拋棄多少年來的生活。

冬天在冷雨和長夜裏熬過去了，
冬天過去了，又來了春天，
「映山紅」山上又有了孩子們的歡笑，
我的小園裏是一片猖獗的野草。
春天又黯淡的走了，
我依然在這小小的山窩裏，
聽一聲又一聲「不如歸去」，
像裂碎了一顆又一顆的心！
杜鵑鳥呀！你就是鮮血從口裏直往外湧，

我也沒法聽從你的叮嚀，
因爲，在我歸去的道路上，
又橫上了新的戰爭！

三五，五月，於渝歌樂山大天池。

雪景

我把一副好心情，
斗室的靜，
爐火燒在臉上的微紅，
帶給大雪後山野的蒼茫
和刀片的風。

在雪的重壓下，竹竿
向我求救，打着躬，
山峯上壓着肅穆，
白色裏透一點靑。

我打着呼嘯，

輕掄起手杖，
（一圈一圈劃着恬靜）
一路淸脆的脚步
把我引向一間草棚。
我知道，那裏邊
永遠燒着一大堆火，
永遠有一大堆人
圍着火講說神話，
挖炭夫，像原始人，
粗擴，赤裸，向漆黑的洞裏
爲人間取火。

什麼也沒有錯，
錯的是一個逃兵，
身上的創疤在流血，

雪景

脚上的凍瘡在流血，
他的口是一個血窟窿，
一句一句的向外湧。
從一個地獄裏逃出來，
多少個地獄在外邊開着口，
身上一套單軍裝，
門外的白雪半尺厚！
沒有一身便衣做個通行證，
沒有去處，沒有一文錢，
沒有一個朋友！
這個小草棚，
留他一會兒，
這堆火，
將使寒冷更寒冷！

走出這間草棚子，
我成了另一個人，
眼前的風景太慘酷，
我的眼淚是多麼無恥！

三三，三月五日於渝歌樂山大天池。

失眠

一隻一隻生命的小船，
全部停泊在睡眠的港灣，
風從夜的海面上老死，
鼾聲的微波在恬靜的呼吸。

只有我的一隻還衝跌在黑的浪頭上，
暴風在帆布上鼓盪，
心，拋不下錨，
思想的繩索越放越長。

三二，十二月於渝歌樂山大天池。

禱

每個清晨，聽你作早禱，
用商人報一篇流水的調子，
從這聲音裏聽不出音樂，
聽不出信仰，
也聽不出詩，●
我甚至聽不懂你念的句子，
就像你不懂它的意義。

每個黃昏，看你作晚禱，
跪在牀上，閉着眼，
雙手在胸前合成十字，
「上帝」如果像我一樣

[illegible]

看到你心裹蟄居的罪惡，
我不知道，除了憤怒，
他將怎樣處置！

三三，四月十一日於渝歌樂山大天池。

照片

——給綰城

分離後的第一面，
這是多麼不同的一面！
你說得好：
「把想像中的模樣
加上八年看。」

三五年春於渝歌樂山大天池。

消息

當我向你
力逼消息的時候，
我氣你太吝嗇，
當你把它們
如數的給了我，
我又恨你太殘忍了！

三五年春於渝歌樂山大天池。

奇怪

天天有飛機
在青島的海濱降落，
你奇怪，
飛機裏
爲什麼沒有我？

天天有新貴們搶着去「收復」，
你奇怪，
新貴裏
爲什麼沒有我？
這倒眞眞叫我奇怪了，

奇怪

你怎麼會把這樣一個想頭
加給這樣一個人
像我？

三五年春於渝歌樂山大天池。

眼淚

這些天，
感情在心裏激盪，
像洶湧的海濤；
這些天，
忴恨在心裏鑽動，
像一條一條毒蛇；
這些天，
憤怒在心裏咆哮，
像大風裏的烈火一樣。

我想哭——
爲了我自己，

爲了那些無家可歸的人，
爲了那些凍死在街頭，打死在戰場上的，
爲了那些把眼淚流乾了的
全中國的受難的同胞們。

我並不羞恥我的眼淚，
這是最莊嚴的良心底結晶，
我要它暢快的流，
（壓住它我便會發狂！）
然後，把眼睛拭乾，
更堅强的走自己的路。

三五，十二月廿八日燈下於滬。

快活歌

你問我爲什麼老不快活，
像是心頭上鎖一把鎖，
你問我，我倒要問你，
你說「我爲什麼老不快活？」

現成的飯吃得太飽，
慚愧的回味又太多，
呃，呃，呃，你消化不良，
這樣你怎麼能夠　活？

你問我爲什麼老不快活，
不見歡笑從臉上掠過，

你問我，我倒要問你，
你說「我爲什樣老不快活？」

不帶着疲勞你爬上了牀，
身子閒着，腦子在工作，
失眠在眼皮上劃兩個黑圈，
帶着它，你永遠不會快活。

你問我爲什麼老不快活，
像丟了東西，又像在尋找什麼。
你問我，我倒要問你，
你說「我爲什麼老不快活？」

你的心上拴着個「過去」，
又把「未來」的苦惱預約，

「現在」你活着，却沒有個「現在」，
這樣怎麼能够快活？

你問我爲什麼老不快活，
像春天裏開不出的花朶，
你問我，我倒要問你，
你說「我爲什麼老不快活？」

這時代眞是天翻地覆，
一個挖墓人也是它的催生婆，
在生死的當中你站住了脚，
孤獨的人從來不快活。

你不要再問，
問得太多，

我請你回答，
怎麼才能够快活？

滴滴勞動的汗水，
就是憂鬱病的發汗藥，
心的源泉永不會枯竭——
少記住自己，多爲別個。

你不要再問，
問得太多，
我請你回答，
怎麼才能够快活？

欣賞春天的紅花，夏天的雲朵，
欣賞秋蟲的唧唧，冬天的白雪，

不把它們當做回憶的符號，
它們是耀眼的色彩，悅耳的音樂。

你不要再問，
問得太多，
我請你回答，怎麼才能夠快活。

舊的死了，用眼淚去葬埋，
連古老的記憶也不要除開，
走出陰暗的屋子，
加入年青的一羣，
走出陰暗的屋子，
走到太陽底下來。

三五，夏於渝歌樂山大天池。

船

一隻小汽輪，沒有烟囱，
拖着兩隻大木船滔滔向東，
「勝」字號，「利」字號，一邊一個，
「勝利」，多麼好聽的一個題名。
大江上
佈列着巴峽，西陵峽，
大江上
封鎖着巫山十二峯。

船是一個家，一個王國，
男女老少，一個人分封了十六英寸，
木板有着銳敏的神經，

一個人一翻身，全船都隨着他顫動。
一條行人道，人體在道上
切切實實來一個親熱的磨擦！
一片雨布就是我們的天空，
青天上落雨，黃天上也落雨，
太陽一昇天，船就成了蒸籠，
人體發漲了，汗水滋生，
你聽，孩子哭，老婆叫，
你聽，扇子在人們的手裏發瘋。
滿江是水，
爲了一盆水爭得臉紅，
五尺船頭成了寶地，
誰不想搶一塊地方立腳，
早晚站在那兒，
享受一點江上的清風。

一個又一個嶄新的皮箱，
讓它們在水裏爛完，
一條又一條嶄新的雨布，
却舖在私人的身邊，
管船的人，什麼也不管，
把全船的生命和家私交給老天；
輪到行使職權的時候，
他便挺身而出，好一條英雄好漢！

一聲開飯，便開始了筷子碗的爭奪戰，
半夜三更，還有人拉胡琴，大笑，興致那麼飽酣，
彷彿他（她）們是在自己家裏，
彷彿並沒有一個人在他（她）們身邊。

天天有人吵架，夜夜有人鬥嘴，
南腔北調，像交響樂團，
人們用它來發洩悶氣，
用它消磨無法消磨的時間。

好時光不是沒有，
半陰不晴的天氣，
風平浪靜的江面，
大家用一副好心情，
對着眼前好心情的江山。
船艙裏，靜靜的，老太婆躺在自己的舖上，臉色很安閒，
小孩子睡在母親的懷裏，嘴含着奶頭，欲捨還戀，
姑娘們睡着了也還保持着那謹慎的姿態，
男子們，放肆的睡去，沒半點忌憚，
連繩子上曬的衣服，布片，

連繩子上的一串又一串的救生圈，
也都靜靜的，靜靜的，
一種和平的空氣使人不敢侵犯……

危險！
前面江岸上掛起了紅球，
危險！
馬達的聲音忽然沉重！
浪頭像沸水，
船，升上去，跌下來，像爬山。
兩隻木船發狂的亂搖亂掙，
掙斷了索子，想掙脫那隻小汽船。
船在過「灘」，過「青灘」，過「洩灘」，過「官灘」……，
一百多條生命在過重重的鬼門關。
領江的臉色叫人害怕，

水手們的忙亂叫人害怕，
船架子一勁的吱呀，吱呀！
船在搖擺，
掛着的東西在搖擺，
兩岸的青山在搖擺，
人心在搖擺。
大江變成了急燥，咆哮，
風光也全變色了，
暗礁像一個個陰險家，
偷偷的伏在水底下。
人，一點聲音也沒有，
連孩子也不敢哭一聲，
親人們，彼此用全力抓緊，
臉子嚴肅得像一尊一尊的神……

幾千里長的一條大江，
幾丈長的兩隻木船，
天天有風浪，
大大小小過了幾百個灘；
可是，在目的地登岸的時候，
我却更加惶惑，更加害怕！
我從一隻水上的小船，
踏上了陸上的一隻大船！

三五，八月五日於滬。

歌樂山

我放棄了歌樂山，
我永遠佔有了歌樂山。
歌樂山，歌樂山，
把脚印子留在戰地上，
我在歌樂山的山窩裏
靜靜的生活了三年。

我放棄了歌樂山，
我永遠佔有了歌樂山，
歌樂山，歌樂山，
那靑峯，那綠竹，那雲烟，
杜鵑叫得啼血的季節，

那滿山血紅的紅杜鵑。

我放棄了歌樂山，
我永遠佔有了歌樂山。
歌樂山，歌樂山，
大院子，老土屋，
我的心舒貼貼的
貼近着那一家農民，我的好隣居。
我看着他們忙，
我幫着她們忙，
我看着田裏的秧子長成針，
我聞到滿院裏穀子香，
小園子裏長着各種青菜，又肥又嫩，
男的忙，女的忙，睡半夜，起五更，
帶着星光擔到菜市上。

歌樂山，歌樂山，
我怕想離開歌樂山的那一天：
大孩子們追着我，小孩子們哭，
老太婆叮囑了又叮囑，
我像一個初次離家的孩子，
頭也不敢回，含着眼淚走下了那條小山路。

「明兒你走了，走到南京，走到天邊，
我們不是一樣可以看見這顆大星？」
那位姑娘說這句話的時候
她抬起頭來望着西天，
那兒有一顆大星，出得最早也最亮，
天一煞黑，它便在西邊的山頭上向我們睒眼。

我在大江的黃昏裏，一個人向着這顆大星望個半天，
它一直跟着我來到了這海邊；
托着它的那山峯呢？
和我並着肩看它的那些人呢？
歌樂山，歌樂山，
我放棄了歌樂山，
我永遠佔有了歌樂山。

三五，八月三日下午於滬。

第三輯

六機匠

你那兩間茅草小屋，
同你弟兄們的雁字兒連起，
屋頂上的草，像主人的生活：烏黑，枯朽，
門是命運的框子，使人出入向它低頭。
一個院子，三面矮牆，
青草挑在牆頭上，
大門口張開了田野的空曠，
大門口，沒有大門，
好讓「馬耳山」隨意照過來苦寒的青光。
三十年前，你是三十歲的一個機匠，
屁股把坐板磨得嶄亮，
你的心指揮着手脚，

一雙眼緊跟起顫跳的梭，
你把白天的日光，深夜的燈光，
把長長的年月，不斷頭的酸辛，
一縷一縷的織入了布紋。
噠噠的機聲響出來詩的音韻，
我，一個孩子，聽不出生活的意義，
也聽不懂，機聲斷了的當兒那一聲歎息。
梆硬的炕頭上坐着七十歲的老娘，
紡花車在她手下嗡嗡的響，
棉花絨飛起銀花花的雪片，
落在牆角的蛛網上，落在黝黑的牆上，落在人身上，
可是，當落到她頭上的時候，便失去了它的光亮。
你那小小的庭院，便是我們孩子的天堂，
年年春三月，有一樹桃花
開出你的西牆，我覺得，世界上，

沒有一個地方，有比你這裏更可愛的春光。
夏天的黃昏也唯有你這兒的最好：
蚊子在簷前佈陣，蛛網掛在檣角，
星星越看越多，蝙蝠從頭頂飛過，
白色的葫蘆花，一朵又一朵，
照來了長嘴的「古綠哥」。
幾個人坐一領蓑衣，
聽你的巧嘴講故事：
有心跳的征戰；可笑的滑稽；
我的心，常隨着英雄手裏的一支鏢
投到半空裏去，三天三夜還不得着地。
鬼仙的戀情，總是悲劇收場，
我也沒有一次，不爲她們
墮入了深深的悵惘！
你的嘴水順着落嘴淌，

故事的情味比蠶絲更長，
你的「瞎話」簍子永遠倒不完，
五天一個「集」，說書場上你曾不吝惜幾個銅板。
我們沒有錶計算時間，
只看見，院子裏飄滿白霧，天上的星花更燦爛，
你瞌睡了，一天的勞累
壓上了雙眼，我們用手扒開它們，
想把你的睡意放逐，
奇怪一個人爲什麼要疲倦！
冬天的陽光下我看你「牽機」，
把大紮子線牽來又牽去，
你旋溝裏長出條粗的尾巴，
平地上淌出來一道瀑布。
夜夜忙着織布，天天忙着「牽機」，
三九天，你吊一條燈籠褲子，

冷風一吹，它便響動着要把你浮起，
紅鼻頭上掛一點搖搖欲墜的青鼻涕。

幾年過去了，你失去了老娘，
也失去了那張織布機，
你織的老土布已經不行時，
白洋布霸占了市場，好看又便宜。
你有了一張鋤，你有了一頭牛，
頂着你的西「山」多出了半間牛的房子。
多少個春天的好日子，我跟着你，
老遠老遠的下「西河」，去耕那一塊可憐的土地；
夏天，你在高粱地裏流汗，
我浸在清清的河水裏，
晌午，栗子行裏沙灘上躺着打鼾，
有涼蔭撑傘，有風搖輕扇，有蟬聲催眠，

太陽爬到了臉上，睜開半個眼，把身子一翻，
擦一把橫流的口水和額上的薄汗。
我們踏着黃昏的小路歸來，
鋤桿上打着簑衣，掛一個小「牛眼罐」。
我提心吊胆的往家跑，帶着悵惘和依戀，
聽到你開了鎖，吱呦推開了關住寂寞的門扇，
這時候，這時候，新月已在窺你的茅簷。
大門前一塊小小的菜園，
半灣栽葱，半邊種菸，
五個畦子，五個弟兄，
不用問那一份屬你，一眼就可以分辨。
順手拔一棵大葱，咀嚼着，又辣又香真解饞，
辣得心痛，辣得眼裏淌淚。口裏流涎——
當東風把紙鳶飛滿了天，
當快樂隨着手裏的線越放越遠，

當麥浪波動着碧綠的柔波，
當歡呼把整個的郊野填滿。
呵，你西牆外的場園上，
有多麼富麗，多麼豐實的一個秋天！
吱呦呦小車子響，驢呱呱的叫，
狗子跟着牛車跑，
四面八方的路上洋溢着收成的歡喜，生的活躍。
大豆，高粱，閃耀着燦爛的夕陽，
木鍁一揚，半空裏落下來
黃的金粒，紅的寶石，
男女老幼一齊在場園上忙，
人人一身風塵，臉上却閃光，
隔一堵牆，也可以聽到孩子的哭聲，
大人的忙亂，尖鞭的脆響；
隔一堵牆，也可以聞到

高粱葉，豆稭棵的芳香；
隔一堵牆，也可以看到
「揚場」的塵土撲個滿莊。
太陽落了，天空換上了星星和月亮，
地上的燈光，照着人笑也照着人忙。
你的辛苦也結了果，多半的糧食上了「租粒」，
剩下一點點對付着肚皮，
靠着那株桃樹，居然也有了一個小草垛，
它給你一點溫暖，使你的屋頂
也按時冒煙，告訴着：「我也在生活！」
你正當三十多歲，年富力强，
只有一點點土地給你敷衍着四季，
有力却沒有用它的地方！
當歉年餓瘋了窮人，
他們一窩蜂飛到富戶去搶糧，

有的腰裏「別」上支「盒子」
加入了土匪幫；
你却守着冷炕頭和一個餓肚子，一動也不動，
你勤苦，正派，老誠：
「餓死了不『下』腰，
　凍死了也要迎着風！」（注一）
你的四壁上貼滿了「小模畫」，（注二）
畫着「招財童子」，「財神進門」，
畫着搖錢樹，聚寶盆，
畫一個打魚的「沈萬三」，
一網打到了萬兩黃金。
你常說：「吉人自有天相，勤儉是黃金本」；
但爲什麽，爲什麽上天曾沒睜開過眼睛
看顧一下你要命的貧困？
你也說過，畫上的仙女

夜裏走下來私戀凡人；
可是，爲什麽，爲什麽四壁黃金
不曾走下來過一次，
走下來救濟一個像你這樣的好人？

過了幾年，你又失去了
你的黃牛和那二畝田地，
（你的佃主，潮流把他衝破落了，
他不得不變賣土地過日子。）
可是你不能失去生活，
你又換了一個新的頭銜：「酒房的掌櫃的」。
喊着「打酒」的聲音斷斷續續，
手裏擎一把小黑磁壺，
人頭長在牆頭上，

靠窗戶的牆頭給磨得光禿。
「酒房」裏總是滿滿的，
閒人，孩子和酒徒，
閒人，來消磨他們的時間，
來播古搬今，來用最放肆的淫蕩
給耳朵和嘴開一開葷；
孩子們來開聰明孔，來聽故事，來學着打諢，
來看醜態百出的醉漢們，
鼻孔裏說話，口裏酒氣亂噴，
酒力淹沒了虛僞和理性，
恢復了他們的童騃和天眞。
你也間或「噓」幾盅，
幾盅酒就在你臉上燒起紅雲，
你的酒一火到底，
你的酒，和你的人一樣清純。

「上城揩酒，走到河裏摻了多少水？」
別人故意逗你開心，
你便臉紅脖子粗，頓脚賭血咒：
「摻一滴水的叫他斷子絕孫！」
秋雨一淋幾十天，
破敗了的冬瓜架下蟋蟀在叫，
西風把天地吹變了顏色，
也吹老了你牆頭上的草。
在這最淒涼的秋天，
你的小屋裏最溫暖，
雨把人誘引了來，
一回兒，門響了，脚一頓，
簑衣抖下了一地雨點。
你的屋成了個小小的賭窩，
炕上一「棚」，是大人，

孩子們，也在地上用一副「記葉子牌」磨指頭，過賭癮。
四隻手擎着四把牌，
眼光和心血全灌注在上面，
看「外包」的圍了一大圈，
替別人的命運担心，
臉色隨着牌葉子變。
人體的氣息，呼吸的氣息，煙草的氣息，
再加上瑣碎的嘈雜，突然的囂笑，
釀造成一團溫馨——
呵，那樣一種醉人的氣氛！
夜裏，兩盞小煤油燈底下
四個人賭他們的命運，
風，鼓動着窗紙，
煤烟子搖曳着一注黑雲。
這時候，我已經不再是一個

扒着你的嘴要「瞎話」的孩子，
我已經是戀賭的一員，
雖然他們誇我眼快手疾，
但我往往輸的淨光，恨不得老鼠洞裏去挖出銅錢；
我常常做心灰的小偷，
向「老哥哥」破櫃角的布袋裏探手，
心想，「老哥哥」多麼可憐，
心想，贏了再偷偷的給他還原，
我更忍心的拒絕了妹妹的勸告，
背着嚴厲的祖父，到你的小屋裏
去熬一個通宵！
錢輸光了，天也亮了，
帶着灰心，帶着失望，帶着一身疲勞，兩鼻孔黑烟，
偷偷的溜進房子，哀告過妹妹，
把大被一蒙，雙眼一闔！

爲了幾個「頭錢」，
你也陪着熬乾眼，
有時候蜷在一邊睡去，
醒過來一看，狗皮頭上的「頭錢」
已經被人借去輸乾。
你自己起火，自己作飯，
作興作一頓吃他一天，
你的心巧口巧手也巧，作的飯
那麼乾淨，那麼香甜。
冬天，一尺厚的白雪壓住屋簷，
當個小小的「局頭」
也賺個熱炕頭格格睖眼，（注三）
每當我遠遠望見你的門上打一把鎖，
它鎖煞了我的希望和喜歡，
呵，眞的，你這間小屋，

我不來就不算一天。
有一個秋天，你祕密的出了遠門，
這個祕密立刻廣擴成一個醜聞，
人人都知道你去了南海崖，爲了一個女人，
個個都說，回來的時候，你不再是一條光棍。
南海崖，女人最爛，最不値錢，
月夜排隊在沙灘，
談談笑笑全不在乎，
反過衣後襟把臉蒙住，
幾個銅板就可「摸」一個臨時妻子，
白髮，紅顏，那全看各人的運氣。
你從南海崖回來，
臉上沒添一點光彩，
也沒帶來一個女人，
反把多少年來一點辛苦錢丢在了南海崖！

從此打破了「成家」的奢夢，
從此，你又給玩笑的人們
添了一個新的故事。
「和局」乾熬油，賣酒不賺錢，
（賺了些爛賬！）
接受了壯年意氣的鼓動，
把門一鎖，你闖了關東。
呵，「關東」，多麼神祕的一個地方，
多麼動聽的一個名字！
彷彿關東的大地不是泥土，
是一塊流油的膏脂；
彷彿關東的山裏生長的不是石頭，樹木，
生長的全是金塊，靈芝草和參孩子，
關東給窮困的人留最後一條路，
十年，二十年，當他們再回到故鄉，

漂亮的衣服，神祕的家當，
引動了多少顆心，多少張口，多少條眼光！
你，去了一年多，又回來了，
沒學上一點乖，沒多上一點東西，
連衣服，連言語，回來的時候
還是去的時候那個樣子。
我不知道你為什麼要回來，
是戀不住思念這個拒絕了你的家鄉？
才一年多，你的屋頂漏着天，
後牆的縫子裂半尺寬，
每當我從它身邊走過，
我的心也一樣的裂破！
四機匠，五機匠，他們有過多的孩子和窮困，
雖然是骨肉，硬骨頭也不許你去投奔他們，
那裏去？那裏去？

如果沒有「家後」，三機匠的家給你安身。
窮人家一樣處處是酸辛，
你去住，却沒帶上土地和金銀，
你想「過繼」一個姪子來「頂枝」，
可是，除了貧困，你將把什麼東西
遺留給你的後人？
我常常看見你
一個人在小窗前癡坐，
有時候，對着燈光，啣一支菸袋，
烟滅了，你還在「卟咂」，
我知道，你的心已經不在菸上。
十七年秋天我亡命到瀋陽，
困在你大哥「王江」的家裏，
一個炕上睡男女八口，
一個個盡是鄰里。

二十年的關東也沒使他致富，
還是幹着祖傳的老手藝，
他的大兒子「犁犍」，我兒時的伴侶，
却變成了流氓，混着菜行。
你當年闖關東也住在這地方，
憑一扭菜扭子怎麼會發財？
這個環境裏容不下你，
你到底走了，帶着你的看不慣和正派。
我在這間小屋裏做一個罪犯，
坐在炕頭上像個大姑娘，
日頭出來，我沒有希望，
日頭落了，算又過了一天！
有一天，你突然來了，
我的心一跳，我清楚你來的意義，
你來了，我得再遠走，

再向着寒冷衝去一千里！
當天夜裏，對着餞別的酒
我們大家都流下了眼淚，
第二天，送我上車站，
你一路子不住的抗議：
「天呵，這是什麼世界，
到處都是好人遭難！」
當我又平安的看到了家的時候，
你已經把身子租給人家當了「把頭」，（注四）
吃飯要看人家的臉色，
行動要聽人家的命令，
一隻驚鷹，爲了一口食，
把一個天空換一個竹籠。
我再沒有機會常常看到你，
你再也沒心用「瞎話」娛樂孩子，

秋天打場，你叫四斗布袋
在肩上打過挺，然後笑着眼睛掃向大衆：
「你看還不老態？」
不知是自我嘲笑還是賣弄！

多少年不見了——
當中隔一段戰爭。
家鄉破碎了，不再有：
一間完整的房子，一顆完整的心，一條活着的狗！
如果你還活着，是怎樣的活着？
不會再死守着那老實，正派，
生活該教你學一個乖。
如果在集體農場裏，
你可以作一個勞動英雄，
因爲，你有那份能力，也有那份熱情；

如果在工廠裏，你可以作個好工人，
因爲，你有那份天才，也有那份細心；
你可以做一個出色的小說家或是詩人，
如果教育不對你關煞大門。
我眞眞替你可惜，
像你這樣一粒種子，
錯投了時代，埋在封建的泥土裏，
開不出花，也結不成實。

三三，十二月十六日於渝歌樂山大天池。

注一：鄉諺：「凍死迎風站，餓死不下腰」。「下」，彎也。
注二：便宜通俗之小型年畫。
注三：吾鄉傭人自解語：不圖吃，不圖穿，圖個炕頭熗腚眼。
注四：即長工。

老李

在今天，隔着一個生死，
我的聲音，再也達不到你耳朵裏，
我童貞的熱情
對你已失去了感應的力；
可是，比對神的褻瀆還覺得有罪，
當我心裏叫你一聲「老李」。
從小，我就叫你老哥哥，
曾祖父，祖父，和我的父親，
也都叫你老哥哥。
祖父，是從你手下長起來的，
父親，是從你背上長起來的，
我是你看着下的生，

你的懷抱就是我的天地。
你同我曾祖父行輩
有着弟兄一樣的年紀，
可是，命運叫他們向書堆裏鑽，
叫你向土地裏去找出息，
他們都中了大官，掙到了富貴，
你只掙到了辛苦，中到了：
「一個人單『拱』八百斤的小車，
好一個銅梆鐵底的漢子！」（注一）
他們把一對對大「旗桿」（注二）
豎立起自己的光榮，
而你，只在它們的風燭殘年
用回憶的感傷追述着我家當年的榮華，
誇耀着自己曾經是參加「豎」「旗桿」的一員。（注三）
你也曾和曾祖父稱兄道弟，

在我家把青春磨完，
當曾祖父七十多歲，
你也白了頭，皺了臉面，
和悅的時候，他喊你「老李」，
怒吼的雷霆一暴裂，
你便成了「混賬，王八旦！」
年青時候的情誼和義氣
是過去了，
他是主子，你是奴隸，
我恐怖，不平，比你更難堪，看着你
在他雷霆的聲打之下抖戰！
你曾經用故事歡娛過
祖父的童年，
他也曾用天真的小臉
向你笑，用慷慨的小口，許下：

「長大了，創銀子給你養老」的諾言；
可是，當他長大了，
功成名就，立業成家，
他給你的是一張鐵臉，是不時的怒罵——
當你買菜忘記了一樣，
當你耳聾聽漏了一句話！
我是多麼憎恨，但同你一樣
懾於祖父的威嚴，
把小心縮得更小，氣也不敢喘，
眼望着你，呆立着像一隻木鷄，
站着不是，走又不敢，
因爲，你不知道，他話頭的冰雹
落完了，還是沒有落完。
你曾經用慈愛和神話
給父親童年開一個天堂，

他也和善待你，他有一副好心腸，
可是，他剛剛能創銀子了，死便把他按倒，
年老的你，倒替他賠眼淚，
替他控訴，向着上蒼，
在我童年的時候，
你已經蒼白了頭，弓了腰，
耳朵成了空擺設，
唇邊上不大茂盛的鬍鬚
像秋郊裏稀疏的枯草。
這時候，你已經不能下坡，
但是，在坡下勞勳的人都用手打着眼罩望你，
望你在期望中扭了扭子慢慢的走來、
一頭是湯罐，一頭是飯籃。
年青的小夥子們，放下工作，
泥手泥脚的大口吞飯，

飯後阡堤上，吸一袋閒煙，
他們歡迎你，尊敬你，也諷嘲你，
從他們身上你可以找到自己的壯年。
秋收的場園上
你幫着「揚場」，
穀粒的雨點
打在葦笠上，
揚場揚出個漂亮花樣，
「老將出馬，一個趕倆」。
衆人一齊喝彩，是嘲弄，也是贊賞。
上了年紀，沒有人多理睬你，
出出進進，彷彿是一個影子，
耳朵「背」，脚步遲，（注四）
年老了，不討人歡喜。
一隻驢子同你住隔壁，

你照顧它，像當年
照顧你的主人，
飲它，喂它，起五更給它拌草料，
他的溫飽你最關心，
它成了你的朋友，你懂得它，
懂得它為什麼摔蹄子，打響鼻，呱呱的亂叫。
人類給你的全是冷臉子，
那隻驢，當你牽着他在地上打完了滾，
跳起來，舒暢的抖一下身子，
它給你一個燦爛的笑。
我常常揪着你指頭粗的小辮子玩，
你總是用笑——
慈祥的笑，和氣的笑，溫暖的笑
把我的小心填滿。
你伏下身子，把脊背給我當馬騎，

騎在你的背上，我彷彿可以升上天。
你說「古」給我聽，你的故事
常常把我拴在「小耳屋」的熱炕頭上，
你說長毛作反，把女人「裹」了去
載在馬背上，
那時候，你才十三四歲，躺在麥地裏，
長毛用長矛刺着你身邊的死屍，
長矛的尖子刺破了你的衣裳。
清明節給「娘娘」上墳，
都是你扟着菜盒我跟在後邊，
一路上，你一頁一頁的翻我家的榮華史，
你說着，我曾祖父，祖父們
怎樣取消了辮子做了革命黨，
失敗後，清兵要把「臧家莊」挖成一個大灣，
他們戴一頭假髮到山窩裏去流亡；

你說，我母親怎樣聽信了流傳：
我父親跳城牆跌得吐血，
又在外邊有了外遇，
驚心，氣悶，關死了她生命的大門。
在「辭灶」的夜晚，
你總是忙着把草料辦好，
「發紙馬」，叫它馱着灶王升天，
我的眼專注意柿餅，糖瓜和茶點，
恨香火燒得太慢，
這時候，你口裏念念着
什麼「灶王爺爺上天堂，多帶五穀雜糧」，
什麼「上天言好事，下界降吉祥」，
在念念的時候，你可曾想想？
　想想五穀滿倉，也只給富人享福，
　想想吉祥降給有福的人，

可曾有你的一份？
你老了，冬天離不開熱炕頭，
你老了，常常自己同自己談話，
你老了，一個「薦青」，兩個「薦青」
祖父終於把你辭退。
衰落的家計
使他專在個人利害上打算盤。
你背起一個小包袱離開我的家，
還有十二吊錢——一生辛苦的代價，
五十年的時光和一顆衰老的心
是那麼沈重，
而背在背上的包袱
却是這麼小，這麼輕！
我知道，你男花女花沒有一點，
把一個窮苦的暮年去托給一個「過繼」兒，

沒有土地，空有許多人口，
他住在左手的「焦家莊子」，
他同這莊子裏所有的人一樣，
都窮得可憐，住着不是人住的土屋，
吃着不是人吃的粗「飯」，
他們不是「人」，是財主的「佃戶」。
你走了，沒說一句話，
我詛咒着祖父，我淌着眼淚，
牽着你的破衣角，我無可如何！
送你出了村莊，送你下了西坡，
我站着，看夕陽下，
你的影子，一點一點的黯淡，
一點一點的縮小，一點一點的消失……

時間，一個浪頭冲去了好幾年。

從許多死的空隙裏漏下來，
我在渤海的青島進了大學。
離家不遠，我却沒有到家，
回憶的心潮像海潮，
你，像使潮水漲落的滿月。
你的孫子常跑靑島販鷄蛋，
我計算好日子，到「中山路」左角
一家低級交易場所去碰他，
我是多麼歡喜，我同他辦交易，
我交給他一小包餅乾，
他帶給我你的消息。
幾年以後我回到了家，
我越是急於要知道你的狀況，
我越是害怕，
我有多麼歡喜，

我打開全心靈去抱緊這個消息：
「老哥哥還活着，他常常念到着你！」
這時候，我已經娶了親，生了孩子，
這時候，祖父已經下世，我成了當家主，
在正月，這個有閒有味的日子裏，
我把你接到自己的炕頭上，
像老邁的祖父。
你的小辮子已經脫光，
一句話跟一口痰，一陣咳嗽，
你向着我打霹靂：
「你瘦了，小的時候又白又結實！」
我多想和你把往事敘敘，
可是，你已經閉起眼睛打「呼嚧。」（注五）
你又進了小耳屋，
爲了溫暖一下睡過多年的炕頭，你躺下去，

沒過夜，又走了，
緊握住我贈給你買棺木的五塊錢，
我看見你老眼裏濕漉漉。
又隔了好幾年，我這隻遠飛鳥
回到了老巢，
你，帶着八十七年的辛苦
進了墳墓。
我聽說，你在人間最後的幾年，
時時念着我，見個「臧家莊」的人
就拉住問長問短，
從這個問到那個。
在黃昏的時候，拄一根手杖，
你站在樹行子邊上，
望望「西河」，望望夕陽，
望望半天，再回過頭來

望一望我的村莊。
在十年後的今天，我念到你，
眼裏發潮，心裏冒熱氣，
我不知道你的墳在什麼地方，
它是在新時代的後頭，在我的心裏。

三四，三月八日於渝歌樂山大天池。

注一：拱，推也。
注二：旗桿，有功名的才可以立。
注三：豎，立也。
注四：耳背，耳聾之鄉稱。
注五：「打呼嚧」即打鼾。

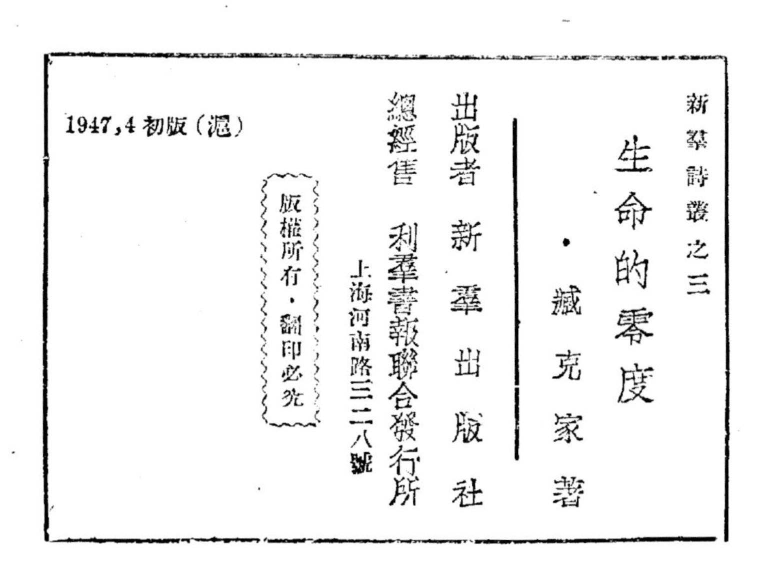
新羣詩叢之三

生命的零度

・臧克家著

出版者 新羣出版社
總經售 利羣書報聯合發行所
上海河南路三二八號
1947,4 初版（滬）

冬天

臧克家 著

耕耘出版社（上海）一九四八年出版。原書三十六開。

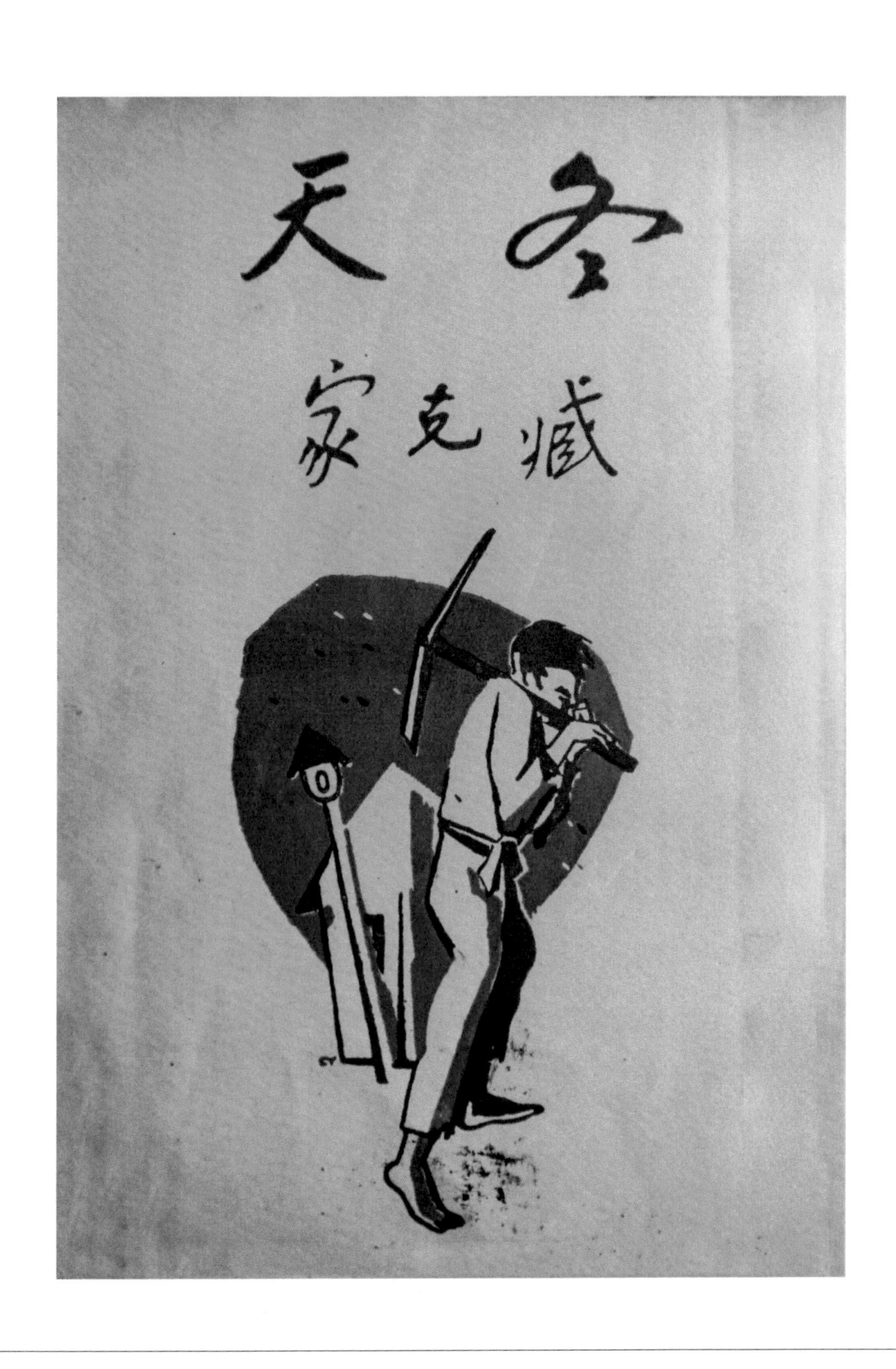
冬天
臧克家

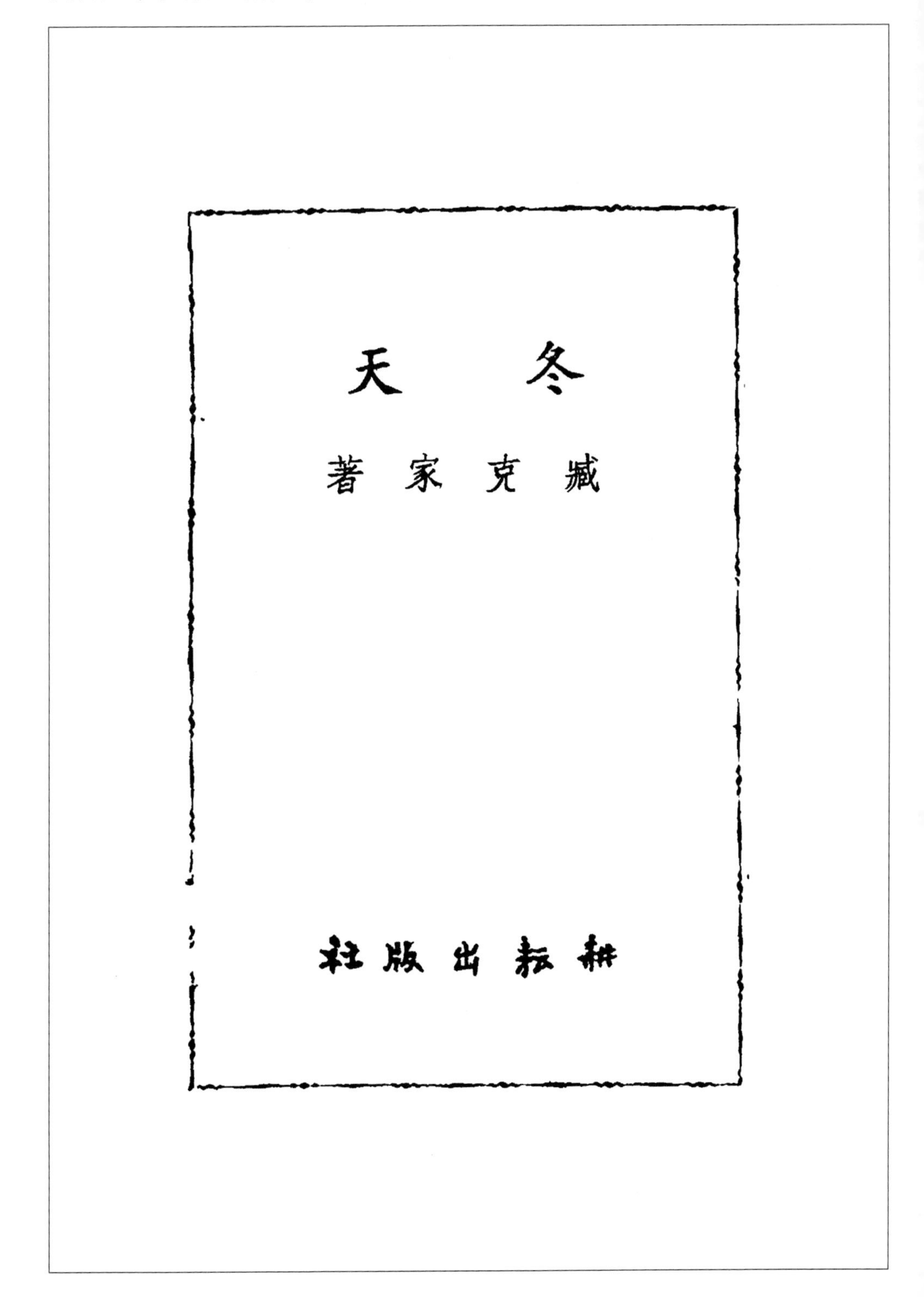

冬天

臧克家著

耕耘出版社

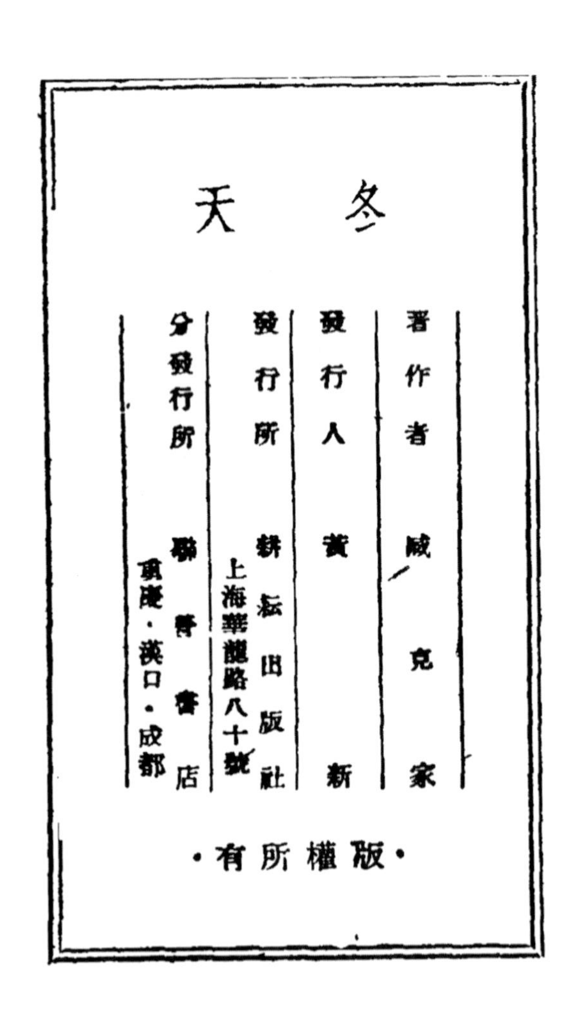

冬天

著作者　臧克家
發行人　黃新
發行所　耕耘出版社
上海華龍路八十號
分發行所　聯營書店
重慶・漢口・成都

目錄

·1·

冬天

冬天，
應着氣象合上，
冰冷的號召，
從二十年的紀錄裏
突破出來，
剛一露頭，
人們就從
磨響的牙齒縫裏
透出了一聲
感召的「啊！」

· 2 ·

天地，
于是慘然色變。
雲，
凍結在覆壓下來的
展不開顏色的低空上，
冰，
結凍在像是因爲笑
而實際是因爲哭泣而裂開大地上，
威風凛凛的北風
張牙舞爪的
到處搜索着溫暖，
太陽，
這位最受歡迎的客人，
也有氣無力的放不長它的光綫。

·3·

寒冷呀，寒冷呀，寒冷呀，
寒冷
把水銀柱裏的水銀
壓縮到零下三十度。
從東海岸
到極西的邊陲，
從塞外
到沒有見過雪花的南方——
整個中國的土地，
土地上所有的人民，
一齊凍結在冰冷之中了；
只有物價，
只有鈔票上的數目字，
全不顧自然的定律，

・4・

一刻一刻的
在膨脹……
往年這時節，
北方的水甕
都穿上了草葉的暖衣，
而眼前，
遍地是赤條條的難民，
今天，在異鄉的街頭上
用異鄉的口音叫喊，
明早，在異鄉的義地裏
作一個永久的居民。
（寒冷殺人不見一滴血，
也不負什麼「罪犯」的責任。）
人民，

一個個空着肚皮；
而槍砲的胃口，
却是那麽壯；
汽車在公路上飛馳幾百里，
看不到
一縷炊煙，
一個人，
一隻瘦狗的出現，
惹出一陣迸裂的歡呼！
老農依着它曝日的
場園上的那個乾草垛，
冬天炕頭上
孩子們偎着的那個熱被窩，
一盞燈，

・6・

一盆火，
一個冬天家庭的團聚，
全都成了奢望，
全都成了回憶！
冬天的鳥兒們，
還有一個溫暖的巢，
而人呢，而人呢，
被飢寒追迫着
找不到一個躲藏的窩。
皮肉，
在冰冷之下
瑟縮着，
而心，
瑟縮得更厲害，

·7·

昨天，今天，連上明天的生計
也一起被凍結！

呵！是這樣的一個冬天！
從多久以來
我們就一直活在冬天裏——
春天的冬天，
夏天的冬天，
秋天的冬天，
而今，是冬天的冬天。
我們的嘴巴
被冰封着，
我們的熱血，希望，痛苦和呼號
也全都被封在肚子裏，

・8、

寒冷呀，寒冷呀，寒冷呀，
寒冷，又豈止是氣候上的！

呵！是這樣的一個冬天！
這樣破碎，
這樣頹敗，
這樣凋零！
寒冷呀，寒冷呀，寒冷呀，
這該是最後的一個嚴冬。

三六年十二月二十三日于滬。

做不完的好生意

破軍裝，爛軍氈，舊襯衣，斷裹脚……
草綠的，淺黃的，慘白的，
叫不出顏色的顏色，
陳列在這有名的「虬江路」上，（註）
給過往的人
展開了一部戰爭史。

有敵人
或自己的槍口
打穿的一個個小洞洞：

・10・

上面染着的血跡
顏色已經淡了，
而流血的那個人
他在痛苦的活着，
還是在「陣亡將士」墓地上
變成了一口小墳？
（插在墳前小木牌牌上的名字
也已經爛掉了半截）

塵土印上了
千山萬水的長途，
長途上的勞頓，饑餓和酸辛；
風雨
打着一個個圈圈，

叫人去想起
那一個個拂曉進攻，雨夜襲擊……
這袖頭
是拭過眼淚的吧？
午夜一夢醒來，
母親的面影
突然從眼前消失……

你看，幾個像這一堆「破爛」
一樣破爛的士兵
走攏來了，
毫無表情的，一件一件翻過去，
那麼匆忙的成功了交易，
那麼匆忙的把它穿在身上，

·12·

又那麼匆忙的一邊扣着扣子一邊走去……

舊的戰爭，留下了這些遺跡，
新的人們
穿戴上它們重上戰場；
新的戰爭
又來給他添貨，
這個戰爭販子，他有了做不完的好生意！

三六年八月廿三日於滬。

註：上海有名的估衣市街。

表現

——有感于臺灣事變

五十年的黑夜
一旦明了天，
五十年的屈辱
一顆熱淚把它洗乾，
祖國，你成了一伸手
就可以觸到的母體，
不再是，只許藏在深心裏的
一點溫暖。

・14・

五百天，
五百天的日子
還沒有過完，
祖國，祖國呀，
你强迫我們
把對你的愛，
換上武器和紅血
來表現！

三六年三月八日于滬

肉搏

麻木
有了刺痛的感覺，
苟安
爬出了它的老窩，
忍耐
失掉了最後的力量，
生命
在第一綫上肉搏！

三六年五月十八日于滬

・16・

照亮

——聞一多先生週年忌

當身子
倒下去的頃刻，
你，向永恆
站立了起來。

當喉嚨
不能夠再吶喊的時候，
你的聲音
也就更加響亮。

是這樣的一個死啊，
把愛和恨提高到頂點，
而同時，你的人
也被它照亮了。

一九四七年七月于滬

・18・

出軌

早晨；
一個新鮮的開頭，
早晨，
我不能想像晚間；

青春，
一個希望的起點，
試問，誰能把
計劃的索子放到冬天？

痛苦的瀦流
在心胸裏流竄，
河床縱然是堅固的，
忍耐，它也有個極限！

時間，
踉蹌的前進著，
一個顛蹶，出了軌，
扔下了背上的那沉重負担！

——三六年九月二十四日早于滬

・20・

交通

道路，
被炮火
打斷了；
希望，
被炮火
打破了；
現在，
交通着的
只有一條條
不死的心。

三十六年五月二燈下于瀋

你去了

你去了。
你住過的那座小樓
對人們有了更多的魔力，
他們走過它身旁的時候
總是立住脚
仰望着它，遲疑一會兒。

你去了。
自願而又不自願的。
爲了夜裏安穩的睡眠

和白天自由的工作，
你撇下了
恨你的和愛你的人們。

你去了。
像頭頂上移去了太陽，
心還是那顆心呵，
可是，它陷出了一個缺口，
雖然有那麽多的憾惑，悵惘，浮動，
再加上一點兒徬徨………

三十六年十一月于滬

「夜嗎！」

丈夫在監牢裏，
孩子在懷抱裏，
夜，
從眼前
慢慢的降落了下來。
牀頭上
一幅小小的畫，
畫裏的人
向濃黑的夜空
仰望着；

・24・

她的眼光
把那幾顆白點子
點亮了，
心頭沉重的念着：
「夜嗎！」

三六年十一月廿八日早于滬

過夜

——給無名死者

你是打算在這裏過夜的吧？
在這垃圾羣的山峯上，
你用破草蓆，爛布縷，
搭起了小小的棚帳。

你是打算在這裏過夜的吧？
缺口碗一隻，
長短筷一雙，
一根木棍子躺在浮腫的身旁。

・26・

你是打算在這裏過夜的吧？
叫帳棚蓋住太陽和星光，
叫帳棚隔開大上海的榮華、
別人的一個天堂。
你是打算在這裏過夜的吧？
你的「夜」降臨的時候，
太陽還沒有走下「山」崗，
從此它們不再打攪你了：
戰爭，恐怖和生的絕望。

你是打算在這裏過夜的吧？
現在，這裏只有一堆模糊的血漿，
惡狗嚎叫着在進行爭奪戰，

成羣的綠頭蒼蠅嗡嗡的亂嚷。

你是打算在這裏過夜的吧？
這天夜晚過了以後，
垃圾羣的山峯更高了，
連你，連你的帳棚一起埋葬。

三六年九月六日午於滬

· 28 ·

生死的站口

北站，
大上海的一個吐納港。
希望
在這裏啓碇，
痛苦
在這裏拋錨，
在這個港口上，
時間決定着命運。
男女老少，
不同的衣服

包裹着各樣的心，
匆促，急劇，緊張，
連一個步子
也不肯讓人，
惟有眼皮上面的那座大掛鐘，
要磨灼心頭的火，
它，滴嗒滴嗒的拔着慢步。

一道開着小口的欄柵。
欄柵，
把一家四口
留在它的裏邊，
老頭子
像剛放下鋤頭

在田野上休歇，
老太婆
低着頭，用一支竹駝子
旋轉着棉線，
就是缺少
一輪紡花車，
一棵老槐樹，
一頂自己的屋簷；
一個姊姊和弟弟
展玩着一塊綠色的玻璃紙，
天眞
引出了滿臉的笑，
這笑，
在陰影籠罩下的

枯黃的臉子上，
是多麼不相稱！
欄柵口上
出出進進，
時間已經幾次
把舊人
換成新人，
而他們這四口
始終在這裏，
保持着
原樣的工作，
原樣的笑，
人和人
相去多麼遠，

·32·

人和人
相去又多麼近。
欄柵外邊。
火車
從自己的軌道上
帶着急於要求休息的一聲長嘘
來了；
又沿着自己的軌道
嘯叫着奔馳而去，
旅人們
從夢裏醒來，
帶着夢給他們的驚奇；
旅人們

帶着夢擠上一個
他們自已也不能預知的位子，
在月台上
（這樣神祕的一塊跳板）
我又看到了另一個形象。
一個二十多歲的女人
抱着一個孩子，
像在暴風雨的深夜
迷失在荒漫的大野裏，
雖然，
　她眼前照耀着
明朗的太陽；
雖然
她身邊的人羣

比漲潮的水
還要洶湧些。
她望着
欄柵的口
張開又閉上，
她望着
火車嗚嗚的
來了
又嗚嗚的
遠去，
抱着她的「生命」
坐下又站起，
這裏那裏的，
她，不過換了幾個地方。

不知爲什麽，
我把欄柵外邊的這個女人
和裏面的那四口
認做了一家；
不知爲什麽
我把她們
和另外的一個
連在了一起，
那一個，
是我在進入
這大上海北站的「外圍」時
看到了的：
躺在地下，
半睜着眼睛，

她，在這起點的大門以外，
已經完成了
她生的旅途。

卅六年十一月十三日早于滬

屍

活着的時候
好似沒有活着；
死了，挺在夜裏，
好一個嚇人的存在！

活着的時候，
破破爛爛，
死了，紅紙綠紙
裝扮得十分鮮豔。

・38・

靜靜的躺在這洋灰地上，
像一個遠行人借宿一晚，
等到天亮，鐵門呱噠一聲，
呵！受驚的不再是你了。

三十六年六月十三日于滬

一片綠色的玻璃

從那裏
檢來一片玻璃，
天眞把它
點成塊寶石，
謬討飯籃子
在身旁空着，
你，像一堆小垃圾
堆在這大馬路邊角上，
認眞的揑住它，
要把這個浮華世界攝進眼睛裏：

・40・

山一般高的高樓，
樹一般細的電桿，
瓜棚似的警崗，
大圓燈
映着紅綠的眼。
那麽多的東西
叫人流涎，
叫不出名色
却能够看見；
那麽多的東西
叫人眼花花；
隔一層玻璃
很近又很遠；
汽車，三輪車，黃包車，

啣着尾巴飛跑過去，
人，摩着肩膀，緊張，匆促，
像急流裏的游魚——
一片色彩，
一片音響，
變幻，移動在
你眼前的這片綠色的玻璃上。

你懷着這塊寶貝，
夜裏會有個好夢：
爸爸的鋤頭在土裏響了一聲，
你便得到了一片帶色的玻璃，
笑迷着眼把它對準天空，
天空湛藍，

·42·

彩雲在湛藍的天上幽閒的抽烟，
你把它對準田野，
對準河流，對準遠山，
你把它對準自己的莊園……

玻璃上
另換了一副景象：
死屍在地上臭爛，
村子裏斷了炊烟，
大道上黃塵僕僕，
田野裏深草沒到腰間……

你不就是從這樣一個夢裏
逃出來的？

脚下的草鞋，
臉上的塵土，
劃出了戰爭的相貌
和苦難的紋路。
把遭受，飢餓和明天
一齊收拾起來，
全身的精力注入了雙眼，
想從這片綠色的玻璃裏
捉住這個大世界，
它多麼古怪，又多麼新鮮！

三六年七月三日于滬

・44・

失望

這個大院子的西北角落，
有一個垃圾箱坐在那裏，
每天，不知道有多少人
一次又一次來向它探訪。

每一次，都是喝斥着
被推了出去，
嘭騰一聲
大門上了門。

妳，妳這個幸運者呵，
我以祝福的心情
看着妳揹着大簍子，
手裏拿一把鐵鉗，
眼睛四下裏望着，
匆匆地走近了它。

我看着妳，一低頭，
又抬起頭來走了，
帶着一臉比受到喝斥
更難堪的失望。

三十六年六月十三日于滬

・46・

鄉音

——給行乞的難民

你的聲音，
把悲苦和無告
從冷冰冰的心胸裏
乎喊出來，
這聲音的本身
是那麼微弱。
它，戰巍巍地
被冷風帶走，
連冷風，
也戰巍巍地了。

而人心，
都在這聲音之前
關閉着，
這大都會的騷亂
像一個風暴的海。
每次聽到
你的也是我的這鄉音，
我的心
便和你的聲音一樣
抖戰了起來——
因爲，它使我
想起了家鄉，
想起了
同樣在討飯的母親。

三七年一月十五于滬

・48・

強烈的光

——給德昭

緊緊地掙住手，
半天沒有一句話，
「你的臂力還是這麼強！」
還記得中原大野上
我把一片石頭摔得那麼遠，
颼颼的帶着聲響。

撒下了四年的時間
和發了霉的希望

有了三點鐘的會見，
在這大上海的岸頭上，
精神還沒生出個白頭
眼睛向望着——
四汴強烈的光！

三十六年八月八日燈下于滬

·50·

叫　醒

——給南國的一個陌生的農家的女孩子

你的一個小小的信簡
裝得這樣的豐滿呵！
我聽到了
南國的田野裏
春水的流洩，
我看到了
嫩生生的秧子
像青春的髮絲
在風前搖蕩了。

妳，一個十九歲的女孩子，
把一雙腿插在泥巴裏，
一面唱着「泥土的歌」。
妳的心
被詩鼓盪着，
妳的幻想，那麼美麗，
海闊天空的
展開了翅膀。
我塵濁的感情
像打了礬的渾水
一樣的澄清了。
我的心
被感慨，悲憤和希望
激動了起來；

•62••

妳叫醒了的實在太多，
因爲妳投過來的太多，太有力了！
抖一抖妳的信紙，
抖下來泥土的氣味，
田野的芳香；
妳樸素的生活
也一片一片的抖落了下來。
妳想得多天眞，多可愛呵，
妳想着我這個泥土詩人
在妳工作着的時候
一步闖到妳的山野裏去，
妳把用山花編成的花冠，
捧過來，戴到我的頭上。
妳的想法

使我太痛苦了，
使我猛然感覺到
我是作客在這樣一個
叫人連太陽從那邊出來也不清楚的都市上，
使我想起了
我的北方，
那原野，那山河，
那想又不敢去想的一切——
妳在泥土裏勞動着，
生活着，唱着歌，
也做着詩。
妳訴說着妳的遭遇
和不幸，
這一些苦訴

也都變成了詩的。
這應該是叫人多麼快樂，
然而我却是多難過，多痛心呵！
有着一雙勞動的手，
有着一顆詩心的孩子呵，
今天中國的農村裏
血和鬥爭
已經驅逐了田園詩。
我聽見妳天眞的歌唱
比聽見妳的哭泣還要難受呢，孩子！

三六年四月于滬

渴望

我是一棵小樹，在田野上生長，
一隻手，硬把我挪到這馬路的一旁，
我的身子受到了汽車的衝撞，破皮流血，
我日夜懷念著老牛的彎角和農人的大手掌。

再沒有那樣的清風
吹得我一陣快樂的擺蕩，
再沒有好鳥兒
站在我的頭頂上歌唱，
我再也不能和我的弟兄

排得高高低低一行又一行，
昂起頭來向著那海洋一般的曠野——
矮的是河流，高的是山崗。

我侷促在這塊生硬的地上，
天空那麼小，又那麼髒，
汽油的臭味代替了田野的清芬，
我快要乾竭死了，
抱着一個對於那片黃土的渴望。

三六年四月二日于滬

薺菜

嚼着薺菜，
想起了家鄉，
家鄉，
破碎又荒涼，
薺菜，眞苦呀，
苦在我心上。

三六年二月大日于滬